Down At The Datty Duck

OLD BARNEY'S BROADCASTS

VOLUME TWO

Edited by
Keith Skipper

Illustrated by
Chad

© Keith Skipper 1985
Published for Old Barney
by Keith Skipper and Jim Baldwin
Publishing, Fakenham
Distributed to the Trade
by Paper Klip, Fakenham

ISBN 0 9509060 7 7

By the same author

DEW YEW KEEP A' TROSHIN!
A LOAD OF OLD SQUIT

Typeset by Fakenham Photosetting Ltd.
Reproduced by Colourplan, printed by
Colourprint and bound by
Dickens Print Trade Finishers

A Product of Fakenham

FOREWORD

*Although I'm a Londoner by birth – and very proud of that –
my affection for Norfolk and its ways continues to grow,
whatever might be happening at Carrow Road!*

*As the manager of a football club, I have to tackle the
mysteries of several strange accents. In fact, I still need an
interpreter on hand when Duncan Forbes drops in for a chat,
although it was probably just as well some referees couldn't
understand him during his playing days.*

*Of course, local lads like Dave Stringer and Ronnie
Brooks are always there to help me out when I'm confronted
by "Broad Norfolk", and my wife's job as secretary at a local
school has also proved useful in coming to terms with certain
phrases and sayings.*

*But my biggest rosette must go to Old Barney for his weekly
lessons on BBC Radio Norfolk. I couldn't really understand
him at first. It was just like a foreign language, although I knew
there must be a lot of truth in what he was saying.*

*I caught the drift eventually, and his report always brings a
smile from me on match days! I know he and his mates from
the Datty Duck were right behind us at Wembley when we won
the 1985 Milk Cup Final. We took the message to heart that day
– and it's well worth repeating before every game involving the
Canaries.*

On The Ball, City – and Dew Yew Keep a' Troshin!

Ken Brown,
Carrow Road,
Norwich.

INTRODUCTION

Keith Skipper

The first volume of Old Barney's rustic reports drew a generous response from those who savour our Norfolk dialect.

"Dew Yew Keep a' Troshin!" embraced the start of his broadcasting career, from September 13th, 1980, to February 14th, 1981. Here are two dozen more of his contributions to BBC Radio Norfolk's Saturday morning output in chronological order.

I suspect his appetite has been whetted enough to ensure future rounds down at the Datty Duck. He's still going strong on the local wireless, and seems quite happy to provide me with verbal assistance to transfer original broadcasts into a more permanent setting. Mind you, his rough notes aren't always easy to follow!

Our efforts are really designed to be read out loud. After all, that's how they were born, and the true flavour of the Norfolk dialect comes through best in the spoken word.

This rural correspondent has a style all of his own, and some of his favourite expressions may come as something of a culture shock. To be fair, every village pub has its own brand of whimsy, and it takes newcomers some time to catch on.

With no firm rules or regulations in writing down the vernacular, there are bound to be discrepancies in the space of two dozen instalments. However, as I stressed in the introduction to the first volume, Old Barney has scant respect for uniformity.

As an observer of the characters who keep village life going, he simply underlines the way they vary in their responses, especially in the pub.

A simple test worth trying down your version of the Datty Duck – ask for the time at two-thirty, preferably in the afternoon. Fred up the corner mutters "Harparst tew"; Jacob hauls out his pocket watch and cries, "Blarst me, thass harf arter tew!" The landlord suggests politely, "Tyme yew wunt orl heer!"

Different styles amounting to the same thing. And variety must add to the spice of rural life.

There has to be room for a few useful pointers on phonetics. Several words run into each other in the Norfolk dialect, and the collision might be confusing at first.

"I had to laugh" becomes "hatter larf" – "Made a cup of tea" is transformed into "medder cupper tea" – "a few of us" is shortened to "few onnus".

Don't forget that several words beginning with the letter "v" are given a "w" start instead, like "wikker" for "vicar" and "willuj" for "village". And the takeover continues in the middle of some words as well – for example, "tellerwishun" replaces "television".

Rustic Malapropisms are commonplace. Like the invitation to throw your hat into the "perlitikul mareena", or to take a holiday snap with one of them "Paranoyd" cameras. Old Barney's corruption of tennis star John McEnroe into "Mearkinrow" betrays a wicked Norfolk sense of humour for those who want to see and hear it.

We met most of the Datty Duck regulars in the first volume. The formidable Flossie Crabtree bustles on to the scene towards the end of this collection. She's a newcomer destined to have a profound effect on the small community, and she talks posh.

After deep consultation with Old Barney, I've decided to feature her comments in "proper" English, both to draw a clear contrast between Flossie and the rest of the circle and to emphasise her sharpness of character. She's a missionary, if you like, and a good few of them have finished up in the rustic pot!

Politics and sport seem to dominate Datty Duck debates, and I suppose they're the main topics in any pub. But excuses for a major village romp – like the Royal Wedding of July, 1981 – also get their share of the limelight.

Again, I'm indebted to Chad for his telling illustrations. He's an expert on the furnishings of the Datty Duck, the legacy, no doubt, of many a wild night entertaining on the Norfolk pub scene.

He's now treating Old Barney and his cohorts as old friends. (Rumour has it he's really waiting for them to treat him.)

With such a strong sporting flavour running through these chapters, it's particularly pleasing that Norwich City Football Club manager Ken Brown should accept my invitation to pen the foreword.

I thank him for the interest he's always shown in Old Barney's exploits, and for words of encouragement to those who might find the going hard on early acquaintance.

Ken looks forward to his Saturday morning "lesson" on Radio Norfolk, and now has the chance to do a spot more homework with Old Barney's second collection of Norfolk whimsy.

It may seem like a foreign language at first if you're new to our local vernacular – but it's worth the effort if you want to make a mark down the Datty Duck!

*She wunt no oyl pearntin, an I ent sprized she hatter rite ter sumwun
uther syder the wald ter gitter reply.*

◇ *CLODDY'S PEN FRIEND* ◇

BBC Radio Norfolk's rural correspondent had some flattering comments about his local station when he stepped up to the microphone on Saturday, February 21st, 1981. But he also had a few words of warning inspired by another escapade involving his friend Cloddy Gates.

Mornin' ter orl on yer. I hent bin sleepin tew sharp jest leartly. Wodder they corl it? Insummonyer or suffin lyke that . . . well, thass wot Iyre got I spooz. Ner sewner dew m' ole hid hit the pillar an I wearke up an' carnt git ter kip agin. Iyre tried readin, an tannin thole wyrluss on ter see if thatell mearke me drop orff, but that dunt peer ter wak.

That wuz bowt harparst tew thuther mornin when I wook up orlerer suddin. That wuz whooly frorsty owtsyde, wi' them hidjes an filds orl whyte. Syter that shooder med me wotter git streart back itter bed with nuther hot worter botell. Stedder that I went down an medder cupper tee – an that wuz ender my kip.

Thasser job ter know wotter dew wi' yarself that tymer the day, an I dint fanser strowl owt cors that wuzzer bit parky. Tyme pearper'd ryved Iyd got jest bowt orl I wotted orffer Reardyo Norfik. Thass good stearshun ent it? Trubbel is they dunt start arly nuff for them onnus wot git up afore them bads start corffin.

I lissen ter the wyrluss a lot now, an thasser larf a' tryin ter pitcher wot sum onnem look lyke. Cor, summer them mawthers sown reel good, then yer see thar pitchers in the pearper or sum skandul magerzeen, an yew wunder how the hell yew got carryed way in the fast plearse!

Cloddy wuzzer tellin on me how he hadder pen fren wunce, an he ewsed ter rite ter har fyver six tyme a week. She lived in New Zeelund, or sumwheer furrin, an he sent orffer letter on spek lyke afore heed sin a lykeness onner.

5

He med lotter darft promises, a' tellin har heed marry har when heed searved up an got nuff munny ter pay the fayre. Then she senter pitcher – an oh, my lor! Cor blarst, she wunt no oyl pearntin, an I ent sprized she hatter rite ter sumwun uther syder the wald ter gitter reply.

Tork bowt fin. I rekun if sheeder stuck har tung owt an stand sydewuds . . . sheeder parst forrer zip farsner. Enny how, Cloddy see this heer pitcher from his luved wun acrorss the see, an he neerly parst owt. When he sorter recuvered an git his wind back he put tergather a rare nyce letter. He say ter har he dint live at that dress topper the pearper. Heed mooved, but he coont tell har wheer heed gone cearse the perlise got otter him. He dint harf lye, but sorter sensibul lyke. He dint wotter hatter, but he must gitter owter the way. That larn him a lessun . . . but I ent tew shure bowt this bitter stuff heer got in tow rite now.

I int ginst wimmun, but they kin git onyer wick – an I sartanly wunt rite ter wun onnem on orff charnse theyre got suffin speshul ter orfer. Thass bit lyke a' dippin itter wunner them bran tub jobs down the willuj fearte.

Wot wuz I yappin on bowt? Oh ar – carnt kip propper, an that ent cors Iyre gotter bitter stuff on my mind. Dunt wotter trubble the dokter cors I arnt ill or noffin lyke that, but if that keep on lyke this heer Iyll tearke summer them pills. Longers I dunt go sleepwarkin an bump itter Cloddy, rekun Oyll be orrite.

Mynd how yer go. Plezunt dreems. Cownt them sheep if thatull help. And dunt yew fergit. Dew yew keep a' troshin!

6

◇ *BUDGET BLUES* ◇

Old Barney's dulcet tones were missing for three weeks, for reasons that were soon to become apparent when he returned on March 14th, 1981. And Sir Geoffrey Howe's latest Budget didn't seem designed to cheer up any of the Datty Duck regulars . . .

Mornin' ter orl on yer. Sorry I hent bin bowt ter hevver yarn long onyer, but Iyre bin leard up wi' a dodjy ankel. Thowt that wuz brook when I tiddled orff mer byke owtsyde the Datty Duck, an they carted me orff ter horspittul ter see wot damuj wuz.

Them nasses an dokters up the Norfik and Norridge gimme ex-ray, but say that wunt bust thow that did hatter lot. I gotter cupper tee arter an gotter lift hoom. Iyre binner sittin wi' m' leg up in the frunt room tearkin it eezy an reedin a feer bit. They wont me ter dew sum umpyrin next seezun down the crickut, so Iyre bin gorn trew the rewls.

Mynd yew, I neerly beggard orff the cheeer an brook m' leg propper Wennsday when that Charnsller blook wuz runnin on bowt the budjit. I dint git the drift onnit when he wuz spowtin on bowt public borrerin seckshun an orl that ole skwit. But when he start on reel thingser lyfe, blarst I let owter holler. Wuh, if yer smook, lyker pynt or dryver moter, thasser rum ole dew entit?

Dunt spooz I kwolify fer them Granny Bons or ennyer that Norf See oyl bunanzer, so owtlook dew peer ter be bit bleek. Dunnow how Cloddy'll manuj, cors heez trying ter searve up ter git marryd. He wuzzer gorter git splyced searme day as Prinse Charlie an that Dyanner mawther so we cood hevver cuppler boozups down the pub. But arter this heer budjit he rekun he an his bitter stuff mite hatter weart till Andrew or Edword syde ter settle down.

Rum job entit when trew romanse hatter hang on corser Sur Jeffrer How? Hent he got no feelins?

I neerly beggard orff the cheer an brook m' leg propper when that Charnsller blook wuz runnin on bowt the budjit.

Gibby Painter, heer bin moonin bowt prycer beer sinse that wuz thrippense a pynt, an mooster thatter bin bort forrim. He cum down Datty Duck Wennsday nite, spufflin an mobbin an weartin fer sumwun else ter bung lyke ewsusal. He say that wuz bowt tyme we gi' them Soshubel Domercrats a charnse cors they coont dew ner wasser'n this heer lot wee got in now.

"Thass tyme the wakkin man stood up ter be cownted. How the hell kin I ford a new greenhowse or buy the missus littel luxery when they tearke yer munny afore yew git it?"

He go clackin on, till Cloddy poynt owt he hent bort thole womun down the pub fer yeers, and that greenhowse wuz beggered up inner tempust thatty yeer back wot took us orl ber sprize.

"Ent the poynt" say Gibby, "I did mer bit fer this country darrin the war in them darkist howrs. . . ." Cloddy chyme in again. "Cum yew on; yew wuz in the Hoom Gard fer three week, an then yew rezyned yar poost cors yew thowt Dewdlebug wuzzer cummin. An yew lorst yar ryfle that nite yew wuz tiddled backer Copplings Barn. Dunt yew cum orl that skwit bowt sarvin yar King an country. We wun the war arter yewd gone ter grown."

Blarst, that wuzzer bit tense fer whyle. Gibby's ole fearse went orl sheardser papple. He downed his pynter myld and cleer orff wi' owt nuther wad. Cloddy bast owt larfin, but we rekun he wuz lucky he dint git dinger the lug.

Thass searmer evra budjit. They orl say theyere gorter dror thar horns in an cut down on the fags an beer. But theyre tew set in thar waze. Rekun Datty Duck'll be full as ewsual ternite.

Gotter tearke it eezy few moor daze yit, an I hatter git lift itter heer terday. Cloddy's nefew, he dropt me orff, an rekun heel be weartin owtsyde rite now. I better be gowin ter git fit fer littel seshun ternite. That dew tearke bitter tyme ter chearnj yar trowsers when yankles orl blown up an owter shearp.

Orl bein well, Iyll be back fer nuther littel natter wiyyer next week. Dunt spend tew much if yer carnt ford it. But wotever that Guvernment hull attyer, jest yew member wot I allus tellyer . . . Dew yew keep a' troshin!

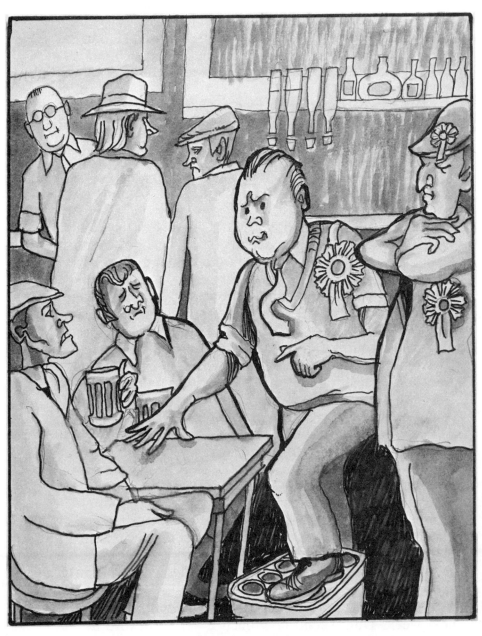

*Cloddy rekun weer iiner stearter flux, an thass tyme them
tradishunel barryers cum down.*

◇ *PINTS AND POLITICS* ◇

They say there are three subjects to avoid while you're having a mardle down the local – sex, religion and politics. The Datty Duck electorate can't be bothered with such niceties, and Old Barney's report on March 21st, 1981, shows the strength of feeling on the hustings ...

Mornin' ter orl on yer. M'ankels a bit betterer an wot it wuz, but thass stiller bit tender wheer I pull mer sock on, so I carnt go gallerwantin rown lyke I ewsed tew. Nivver mynd, yew jest hatter go steddy, dunt yer, stedder bustin a gut. That giyyer tyme ter think ... and that ent no bad thing now an agin.

I hatter smyle this week when that Bottelbank-Prowler polertishun chap hossed acrorss ter thuther syder the Howse, and say he wuz gorter be wunner them Soshubel Domercrats. Cloddy say heel git his voot when that cum ter next leckshun, an that dunt seem ter mearke ner diffrunse he ent in his stitewency!

Cloddy, heer bin Learbur orl his lyfe fars we know. Lyke moost onnem rown heer, he say Learbur meen the wakkin man, an theer hent bin ner agrement bowt that up ter now. I arsked him whoy he wuzzer deefectin ter them new lot, an he say that cum ter him orl sudden lyke. That peer ter be the searme longer Gibby Painter, wot ewsed ter be lokul organiser fer the farm wakkers ewnyun.

Him an Cloddy rekun theyre gorter corler meetin ter former brarncher them Soshubel Domercrats in owr willuj. They hev rit ter Dearvid Owen pledjin thar sepport, an theyre orff ter sum gret ole rally when they git the wad frum Lunnun.

Theer wuz helluva row down the Datty Duck larst nite when they git clackin on bowt way things wuz gorn. Sum onnem say Cloddy an Gibby wuz trearters. "Wunt be ser bad

11

if yew wuz Cunsaravtives dewin a bunk ... but good Learbur men dunt ditch thar meartes atter tyme lyke this" say thole lanlord.

He wuzzer sayin that cors moost onnem wot ewse his pub are Learbur peeple. He know wot syde his bred's buttered on. Cloddy rekun weer inner stearter flux, an thass tyme them trudishnel barryers cum down. Jist cors yer dad, yer unkel and yer granfarther vooted wun way, that dunt meen yewre gotter dew the searme.

"Woss yar mannifester gotter say bowt infleurshun?" Cloddy dint go lot on that wun. "How the hell dew I know till weer propply formed! Carnt be ner wassen wot weer got now." Sumwun else tuched him on the ror: "If yew dunt know wot this new lot stanfor, how kin yew be ser sartan theyre gorter dew wot yew wont? That seem rite sorft ter me ... they sore yew cummin, Cloddy!"

He say he dint unnerstand the kwestyun, an that wuz tippikul o' them mowls wot wuz eartin at the bearser Brtush polerticks. "Woyyer swollered dickshunry, Cloddy? Iyre gossum mowls in mer back gardin if yew wotter hevver garp!"

Carnt think Gibby hed much flewense, silly ole tewl. He go longer ennything woss new. They say he wuz convarted tree tyme when them vanjerlists stick up thar tent on the willuj green twetty yeer back. He went rown hallerin "Halleylewlyer!" fer cuppler week – and then he wuz back down the pub gittin stooned owter his ole skull an bein misrubel when he git soober.

Parsunally, I carnt see ner sense in keepin on chearnjin yer mynd. Lettim orl git on wi' it, spowtin an sweerin at eech uther crorss that Howser Communs. I wuzzer lissnin ter wunner them bordcarsts when I wuz leard up, and that got me wunderin if that lot in the Barklay Stand at Carrer Rood wunt dew better. Blarst, summer the things they holler dew seem ter mearke moor sense.

Still, I dunt wotter preech ter enny onyer. Mearke yer own mynds up, I say. Nyce ter be heer. Keep smylin, an when they cum rown yar daw arskin on yer ter voot, yew know wot ter tell em, dunt yer? Thassit ... Dew yew keep a' troshin!

12

◇ *LIVING IN THE PAST?* ◇

Old Barney was in a reflective mood as he biked into Radio Norfolk on March 28th, 1981. But after looking back and praising the rural community of the past, he had some typical forthright comments about the likely face of village social life of the future.

Mornin' ter orl on yer. Dunt wotter exsite yer tew much, but Iyre gotter reporter strearnj unnerdentifyed objict sin over owr willuj this week. Moost onnem hent sin noffin lyke it afore. Kids down the skool hent fer start. We arsked th' olduns wot it wuz, and they say that hev bin bowt few tyme, an that wuz corled the sun.

Tymes may be hard fer them wot lyker jar an pyper baccer, but they hent lorst thar senser hewmer orltergather.

When I wuzzer boy, I allus lissuned ter thole chaps mardlin rown the willuj. Dunt spooz harf them yarns wuz trew, but that dint matter. That wuz way they cum owt wi' em, tappin the rood or the gearte wi' thar stick, an drorin on thole clay pype. They looked an sownded sif they wuzzer tellin trew storys ... an thass orl yew wont wen yewre a kid entit?

They dew say we live in the parst tew much these daze. That mite be rite, but I say that dunt matter cors summer the things bowt them daze are wath memberin. Lyke the willuj horl soshuls an the harvist festervul jobs at the chapil. Yew dunt git ser much onnit terday, an yew carnt blearm us wot are gittin on fer harpin back, speshlly when yew think wot things are lyke rite now.

Harf the yunguns dunt know wheer thar backsydes hang. They git bord, an when yew sujjest suffin ewseful they cheek yer an say yewre ole fashund. Ent ser bad in owr willuj, cors lotter kids dew muck in an hevver go. Thass nyce ter see it,

They looked an sownded sif they wuzzer tellin trew storys . . . an thass orl yew wont when yewre a kid entit?

but yew dew hatter wunder if next jenerearshun'll wotter know.

Iyre hadder go afore bowt summer them newkummers in the plearse an way they tann thar snowts up when yew arsk em ter tearke part. They think thass nuff ter givver raffel pryze or sticker pooster up the winder. But yew reely wottem ter tan up an hev good tyme longer rest onnus.

Cloddy's owr best blook fer gittin pryzes an sellin tickuts. He tell onnem few lyes – no bad uns – an cor blarst they cum hossin in wi' them gifts. "Thass forrer good caws" say Cloddy, but he dunt tellem wot it is. "Tikuts fyve bob eech, or three forrer kwid. Orffer nut ter be mist!" he holler down the Datty Duck, an they orl bung streart way. How the hell they carnt see trew his skwit I dunno, but heer binner gittin way wi' it long tyme now.

We hedder bringanbuy searle few week back down chach room earder thole peeples' owtin learter in the yeer. Went reely well wi' over hundred kwid rearsed. Cloddy had wind tearken owter his searls thow when he fynd owt theyd sowld his new hat fer thrippense ter sumwun from nuther willuj. He shoonter left it on ole Miss Clayton's tearbel; cor, she go lyke billyoo when theers suffin ter git rid on, and she dint tearker lotter notise when Cloddy give har mowthfull.

"Thass wunder yew dint sell tearble anorl yew silly ole fewl," he say ter har. "But I hev, Mister Gates, the man'll be collectin it learter."

Next big vent in the willuj, thass Eester Warllygig backer the Datty Duck. Hellanorl sydeshows an things lyned up, an wunner them gret ole tents wheer yew kin gitter pynt. Plettyer wolunteers ter wakk hynd the bar. Me, Oim runnin cuppler them thar compertishuns. Gessin wearter the cearke an how menny beenz inner jar. Carnt beet them ole idears.

Gorter be wunner them sarcus axe anorl; yew know, sum clyent in his unnerpants hossin upper pool, stickin sord down his gob afore he cum flootin down itter pearler damp rags.

Orff I go now ter muck chikuns owt this arternewn. Hoop nearburs dunt go on bowt the stink. Oill be back fer nuther lil natter wiyyer next week, if I kin git mer boots orff in tyme. Mynd how yer go. Hevver garp owtsyde cearse sun cum owt, an dunt fergit ... Dew yew keep a' troshin!

Wunt a bad dew atorl. He even brort the missus owt fer the cearshun, an she rite enjoyd it.

◇ *ANNIVERSARY TIME* ◇ .

There's no shortage of excuses for a good old knees-up in Old Barney's village, with the Datty Duck at the heart of the social whirl. This report on April 11th, 1981, turned the spotlight on Mr. and Mrs. Gibby Painter, and their wedding anniversary celebrations.

Mornin' ter orl on yer. Hadder helluva job ter git owter kip terday. Hit yer lyke that now an agin, dunt it? An that dunt allus meen yewre bin owt on the jewse nite afore neether. No, Iyre bin hossin rown lyke nobodders' bizness larst few daze. Hardler sin the lotment, an blarst that dew need sum wak onnit I kin tellyer.

I helpt owt wi' bingoo cuppler tymes cors Cloddy's bitter stuff wunt let him owt on his own arter dark, an weer bin gittin fit fer this heer Warllygig backer the Datty Duck.

Then that wuz Gibby Painter's rubee weddin darrin the week, an he jest hatter stick his hand inter his pockit an fynd few bob fer suffin ter eet an drink. Wunt a bad dew atorl. He even brort the missus owt fer the cearshun, an she rite enjoyd it. Few stowts itter har, an her old fearse that go orl red. Then she starter singin, an Gibby say thass fast tyme sheer dun that sinse wor wuz over. Blarst boy, we say ter him, that cors yew hent brort har owt sinse then.

Nellie's a good ole gal. How the hell sheer put up wi' grizzelguts Gibby orl thees yeers, beggerd if I know, but I spooz that searve sumwun else the bother.

Nelly wuzzer tellin me how she ewsed ter go sprowt pickin wi' frorst an muck up ter yer elbers, but she ent wun ter cumplearn. Dunt mearke em lyke that ennymoor, dew ther? Orl thole mawthers in the willuj ewsed ter pack thar sanwidjes an hoss orff storberry picking darrin summer hollerdays, and kids went along onnem. They cood arner few bob an keep cloos oiy on them littel beggars.

We did heer few yeer back Nellie'd had nuff onnit an cleered orff an left Gibby. Kids hed orl left hoom, and I arnt sprized way he ewsed ter clack on, moanin and groanin every tyme he hatter bung few kwid forrem. Nellie, sheed allus pay her way, an kids thowt the wald onner.

Rewmers started sheed dunner bunk cors Gibby cum itter the pub wun nite and bort cuppel onnus a jar. That wunt lyke him.

"Gotter hev suffin strearnj on his mynd ter dewer thing lyke that", say Cloddy. He kin way em up pritty sharpish. "An he dint borrer a noot ter git em in wi' eether." Gibby wunt in no hurry ter git hoom, an he wuz allus owter the plearse ber harparst ten.

"Woyyer cum up on the pools, Gibby?" say Cloddy, garpin at his pockit wotch. He dint tearke ner notise. "Woyyer gorter hev?" he mutter, an we neerly tiddel orff the stool. Enny how, he bunged agin, bort the lanlord wun anorl. Must be ill, we thowt. Carnt be sunstrook, say Cloddy. Bin tippin downer rearn orl day. Praps worter hev fected his brearn. . . .

Went on lyke this farrer fyve nites. Then orlerer suddin that stopt. Nellie wuz back. Gibby rekun sheed bin down ter Sherenhum ter see har sister, but I rekun that wuzzer lye cors she liv at Hunstun. Wot I coont unnerstand wuz why he wuzzer bit moor soshubel when she wunt theer. Arter orl, sheer got site moor charerty an goodniss in har sole an heel evver hev. Peeple'r funner, arnt ther? Yew keep tryin ter wak em owt, but that dunt dew ner good.

Still, theyre stuck wi' eech uther now, an that wuz nyce ter see em owt down the lokul hevvin a bitter skwit an pynter tew. I say ter Cloddy weel hatter hang on helluver long while afore he hev his rubee weddin.

Better be orff an hev littel dooze arter dinner. Weer gotter nuther dew on down the Datty Duck ternite. Lanlord's baffday, ent it. Praps heel go barmy an buy us wun forrer chearnj.

Mynd how yer. Treet yer ole meartes when yer bump intew em. And if they dunt git yew wun back, tell em jest the searme. Dew yew keep a' troshin!

◇ EASTER PARADE ◇

Plenty of subjects for Old Barney to chew over on Easter Sunday, April 18th, 1981. Rising prices ... preparations for another cricket season, and the big village event behind the pub ... old Norfolk sayings ... and the prospect of holiday traffic jams. He gives them all his special treatment.

Mornin' ter orl on yer. Spooz yewre bin hossin them hot crorss buns inter yet fitter bust? Fars I kin wak owt, theyere the searme wuns yew hev orl the yeer rown, sept theyere bin trikulearted up wi' summer that fanser pearstry an bitter shuger. Still, thass allus nyce ter keep thole tredishuns lyve.

I ent bungin fer orl that choklut skwit dun up lyker dawgs dinner in fanser silver pearper an bitser ribbun. When yew arsk the pryce onnit, an they tell yer, that mearker yer go a funny culler. Searme wi' evrything. Yew wotter bloomin overdrarft afore yew dass go itter the shop.

When yew thinker hot crorss buns reely bein wunner tewer penny in thole daze, blarst that bring it hoom tew yer. Wot bowt pownder marters neerly a kwid? If yew wotter salud thass bester weart till yewre got plettyer stuff on yer own lotmint.

Sews sun cum owt, that crickut lot start gittin fit. Theyre sortin pitch owt an hevvin net practis. Sum onnem look propper stiff, but Cally Grant, that new captin wot kin hull em down sharp, heer whooly put the wind up onnem. Heer had em catchin an hoppin bowt afore they kin hevver hit or a bowel.

Cally say theers gorter be chearnjes. Theyere orl gotter wear whyte clobber forrer start, an tann up on tyme stedder weartin fer Datty Duck ter shut. Cor, thatell upsit tewer three onnem wot arnt ner good till theyre hadder gutfuller beer ter swet owt darrin arternewn.

Weer orl fit fer that Eester Warllygig Mundy backer the

Cloddy an Gibby started argerin cors they wotted ter dew searme thing diffrunt way.

pub. Big tent go up Tharsdy nite, an thass helluver job gittin them duzzy gret pools an roops ded rite. Cloddy an Gibby started argerin cors they wotted ter dew searme thing diffrunt way.

Cloddy rekun he hev lotter speryense this sorter job, an thass orrite longus yer dew it slow. Gibby, wot moov bowt as farst as a pregnunt duck when thass his tan forrer rownd, he say puttin up tents he' gotter be dun kwick afore the whool lot cum down an smack yer on the skull.

Praps heez ryte fer wunce, but he dint harf put Cloddy's snowt owter joynt wi' orl his yappin an slarvrin on. Cloddy say dew the begger yarself if yew know the lot, ole partner, cors Oim orf ter hevver pynt an bitter peese an qwyet. We tell Gibby heez owter order torkin ter member o' orgnyzin cummittee lyke he dew.

This heer Warllygig hev cawsed feer bitter aggrevearshun. That sarcus'll corst no ind, an sum onnem say munny wooder bin better spent on sum lokul entertearnmint, lyke that lot from the dramatik syety or brarrs band owter next willuj. Still, thass allus the searme . . . yew carnt pleeze orl onnem, so yer jest dew yet best.

Suffin else I wotter yap bowt . . . theez ole Norfik sayins woss dyin owt. I dunt rekun we tork funner, but summer them ole expreshuns dew mearke yer larf. Lyke thass neer on shuttin up tyme when we meen thass gittin dark, an if his hid wuuzer gun that wunt blow his cap orff. That meen heez bitterer fewl, an weer gotter fewer them rown this way anorl.

Theez heer peeple up the town an sity, they look at yer sif yewre gotter skrew lewse if yew arsk them kin they find a brorch thatchin tyme. Wuh, they go putterin orff arter garpin at yer an wundrin wot the hell yew weer them buskins fer.

I say we orter starter preservearshun syety fer bitser Norfik skwit, else thatell orl go down the drearn. If yew wotter dropper lyne, I sharnt mynd heerin from yer.

Joy the rester Eester if yew arnt in wunner them bewtiful traffik jams! Shood git threw fer nuther natter wiyyer next week. Git yer tent pool streart, and dunt fergit . . . Dew yew keep a' troshin!

Wot the hell ewse are ther, sittin wi' thar fishin rods an pooky hats?
Wunt giv em howse room.

◇ *CHANGING LANDSCAPE* ◇

Old Barney returned to one of his favourite themes on Saturday, April 25th, 1981, after the weather had played a nasty little trick. The disappearance of so many hedges and trees from the countryside scene also brought a sharp blast from Cloddy.

Mornin' ter orl on yer. That leed yer on, dunt it? Spoozed ter be summertyme, so yew chuck yer longjons owter the winder arter Eester – and wot happun? That start snowin an blowin agin, so yew hatter hoss unner the bed ter fynd yer rubber boots an chooker. Ner wunder we git runny snowts an saw troots wi' orl this rum wether bowt!

Tell yer wunner the trubbels these daze. Choppin orl the hidjes down, an them winds dunt harf belt crorse the land an streart trew yer if yewre hangin bowt. An theer ent ser menny trees as wot theer wuz neether. Sink summer the bads must hev helluva job fyndin sumwhere ter bild thar nests. Praps they hev weartin list lyke they dew on the cownsil.

Yew notise these things when yewre moochin rownd, speshully when Cloddy keep poyntin whyle heez clackin on way ter the pub. "Heyyer ever sin noffin lyke it in yer nattrel" he say. "Theyere chopped down them ole liluc treez backer the bungerlow nexter Miss Thomsons, an the bloomin plearse's fuller them plastik an concreet nooms. Wot the hell ewse are ther, sittin wi' thar fishin rods an pooky hats? Wunt give em howse room. An wot bowt orl that barbed wyre theyere stuck up down Meddler's Farm? Thass oonly cors they pulled orl the hidjes up. An the kids rend thar clobba when they tearker short cut . . ."

He dew go on, but lotter wotter he say shunt go in wun lughool an owt thuther. Summer thees things dew need lookin at regglar afore the whool lot chearnj an nowun notise onnit.

23

Gotter tell yer how owr willuj Warllygig go Eester Mundy. Dint git ser menny as weeder lyked cors Norridge wuz at hoom ginst Ipswitch, an lot onnem rekun that wuz moor portant ter serport thole City in thar howrer need stedder beggrin bowt backer the pub. Theyre gotter poynt. Norridge git tew, dint there, but thass nyce ter see Ipswitch go ter the fynul o' that there Yewfer Cup.

Ennyhow, this Warllygig job go orrite, thow we did hevver bitter crysis when the big markee went on the huh an neerly tiddle over jest as they wuz wakkin owt whood bort the best potted plants.

Gibby Painter, him wot sorter enjerneerd the whool bildin operearshun, say that wuz simpel ter put rite long as yer keep yer balanse an know wot yewre a' dewin. Cloddy say that orter be rewl Gibby hev noffin ter dew wi' it then – an they fly at eech uther agin suffin drastik.

Arter weed pulled em apart, an told em ter howld thar slarver, wun onnem howld big poost up the middel, an thuther wun tye the roops propper. Miss Clayton's hat gitter dint in it when Cloddy drop the hammer an that bownce orff the wejetibel plearse, but she sewn cum rownd cors we hosser cuppler jins an lymes itter har. "Think noffin of it, Mister Gates" she say, an we jest bowt bust owt larfin.

Sum onnem wot went ter footborl cum back an git harf cut cors beer wuz harf pryce so they cood git rid onnit afore the pub open. We kin hevver breark now afore they start moor fun-rearsin, an theers meetin next Wennsday ter sort that owt. We shall hatter see tew' it Gibby an Cloddy dunt start scrappin agin. Wuh, when them tew git gorn, thass lyke wunner them brordcarsts owter Parlermint!

Weer gotter crib seshun down Datty Duck dinner tyme, so Oim sorter bizzy. Mynd how yer go. Keep warm if yer kin, an dunt let the wether git yer down. Mooster orl, dunt yew fergit . . . Dew yew keep a' troshin!

24

◇ *SEASIDE MEMORIES* ◇

Big changes in the countryside have been matched by radical alterations on the local seaside scene. When he biked in on May 2nd, 1981, Old Barney didn't have bucket or spade – but there were plenty of memories about "the good old days" down by the sea.

Mornin' ter orl on yer. Heyyer dryed owt yit? Weer hed rite bearsinfuller rearn owr way. Filds orl look lyke North See, I sink, an moost onnit cum rite over the topper yer boots.

Cloddy say thass ter dew wi' them spearse shuffels an rester that hardwear hossiin bowt up theer. "Thass propper sorft," he say. "They go slarvrin on bowt how weer hard up, an gotter dror owr horns in, an dunt smook an dunt drink and dunt bloomin breeth less yer rearly hattew. Wot munny we hev got they bung owt on this heer spearse lark or flippin gret junkits in the Commin Markit."

We wuz yappin down Datty Duck bowt who orter go up in wunner them rockits. Moost onnem vooted fer Gibby Painter, cors he wunt be ner lorss down heer. But he say heer gotter sort owt his greenhowse an dew his tax pearpers an he carnt ford the tyme ter go aventcherin. Silly ole tewl tearke ser menny things seryus lyke when thass oonly a larf.

I hev nuff trubbel gittin rown Norfik in searfty an cumfut these daze. Nuther Bank Hollerday cummin up, so I spooz thatell be best ter stay at hoom or potter bowt the lotmint stedder gittin stuck ahynd them moters an kids on thar noysy ole bykes. Rekun thass wun tyme yew cood dew wi' spearse ship ter go hossin abuv' em an wearve tew em as yew git ter the seesyde farst!

Hent bin down ter the coost this yeer yit, an that dew put yer orff wontin ter paddel when yew heer bowt orl them oyl slix sloshin crorss the sand, muckin up them poor bads, an yer feet anorl if yer tearke buskins an sox orff. An wot happend

How them yung' uns ewsed ter holler when they see the Punch an Jewdy man gittin his show riddy.

ter orl them donkees wot ewsed ter go up an down wi' the kinds on thar back? They looked rite nyce wi' thar stror hats on. Them donkees did I meen.

How them yung'uns ewsed ter holler when they see the Punch an Jewdy man gittin his show riddy. When we wuz kids an had the Sundy Skool owtin we hevver tanner fer the day if we wuz lucky, an sum sanwidjes an bottler tee ter keep us gowin. Blarst, now that corst yer weeks wearjes fer cuppler rydes on the funfeer, an that oonly giyyer skullearke or mearke yer wotter hull up afore yer kin git orff.

Wun ole boy on the ole peeples owtin from the willuj larst yeer, he wunner cookernut. He wunt harf pleezed till he wakked owt thated corst him nearler thatty bob! He hulled his Kiss Me Kwick hat itter the gutter an jam onnit till thass flat. That wuz rite sorft anorl . . . cors that hat corst him over a kwid.

Dew yew rekun they hev funfeers up theer where them spearseships go? Cloddy say they hev mershines lyke us . . . theyre corled arth invearders spedder spearse invearders. He dew mearke yer larf sumtymes.

Well, hevver good hollerday tergether. An if yewre orff ter Carrer Rood this arternewn, giv them lotter showt fer me. Hent bin sinse they shut The Nest down. Longers they dunt shut down the Datty Duck rekun weel be orrite.

See yer next week, an if yewre orff ter the seesyde, look owt fer them donkees an tell em from me . . . Dew yew keep a' troshin!

Cloddy say the rarul partys are on the march, an heez gorter be owr spooksman on forren affayres an keepin lokul pubs opin.

◇ "SKWIT DEW PLEEZ!" ◇

A dramatic political breakthrough set Norfolk buzzing on May 9th, 1981. That was the day Old Barney unveiled plans for the Norfolk Squit Party, with him the publicity officer and Cloddy Gates spokesman on foreign affairs. And newcomers to the area were to be given the chance to earn Norfolk nationality. . . .

Mornin' ter orl on yer. Did yew put yar crorss ginst bitter pearper on Tharsday? Are yew satisfyed wi' the sarvises wot they giv rown yor way? Heyyer gotter growse bowt the reartes, the sewuj or sydser the rood?

Dew they hev plans fer summer that overspell in yar willuj? Dew yew git on wi' orl them strearnjers wot are hossin itter owr mewnities an tryin ter chearnj way we tork an liv?

Praps yew are a dunt ceer stedder a' dunt know . . . but weer gotter be whooly on owr gard afore theez cownsils tiddel up owr lyfestile orltergather.

Men an Cloddy, weer bin yappin in sekrut bowt way raral lyfe is dispeerin, an weer syded ter former lokul brarnch o' the Norfik Skwit Party. We unt hev nunner them prescripshuns. Thass free ter them wot git in afore summer is ended. Only thing yewre gotter hev is propper Norfik voyce anner hart ful o' pryde in them ole custums . . . lyke drinkin down the lokul an helpin owt down the willuj horl enny way yew kin.

Cors theers ser menny peeple moovin itter the willuj wot yap diffrunt, sun onnem lardy dar – weer cum ter the conklewshun they orter hev sum charnse ter mearker clearm fer Norfik nashnallity. They ewsed ter say yew hatter be wi' us twetty yeer afore yew cood say yew wuz reely wunner us. Weer gorter narrer that down ter earteen ter giv moor onnem charnse ter git fixed up in the country.

Yer see, weer got speshul valews an wazer dewin things

29

owt heer, an if sum onnem wotter git lyke that, thass orrite. But yew carnt spect ter dew it orl in fyve minnit. An we rekun theer orter be zamminearshun ter let em in. Cloddy, wot study polertix, say weer wun orffshewt o' that SDP lot . . . an owr SDP that stan fer Skwit Dew Pleez.

This zamminearshun'll be split itter tew parts . . . a rytin bit ter see if yewre got the spellun an sense onnit rite. Then theerl be torkin bit, wheer yewre gotter yap itter wunner them tearpe rekorder jobs ter show yewre pickin up the lokul tung. Cloddy say the rarul partys are on the march, an heez gorter be owr spooksman on forren affayres an keepin the lokul pubs opin.

Gibby Painter wotted ter know wot his platform wuz. Cloddy say he dunt need ter stand on noffin ter git his messuj acrorss. Not evin wunner them soopboxes wheer they hull marters an stixer selery at yer when yewre in full cry.

If yew wotter joyn the Norfik Skwit Party, Iyre bin poynted publissity orfficer. Thatell be weeker tew afore we git gydelynes sorted owt, an weer hoopin ter gitter hanbook printed upper Norridge. If theers ennything yew rekun we orter hev put in, drop us a lyne long wi' enny donearshun fer charrity . . . thass the Datty Duck darts club owtin fund.

Weer thinkin bowt arskin Ken Brown ter be owr preserdent, an that theer Dick Condor's on the list anorl if he kin larn ter speeek propper.

That oont be eezy a' fytin owr way itter the litukel mareena, cors peeple git set in thar waze. But if yew ceer bowt Norfik in the Earties, less git stuck in tergather. Dunt yew paggarter or that skwit them Learberytes, Cunsarvatives, Libruls or enny uthers giyyer.

Weer got the rite slogun anorl. Wunt hard ter cum up wi' that wun . . . yewll heer owr battel cry . . . Dew yew keep a' troshin!

◇ *ON THE BALL . . . IPSWICH?* ◇

Local soccer rivalries came to a head at the Datty Duck as the regulars turned on the television to watch Ipswich carry off the U.E.F.A. Cup, despite losing the return leg of the final in Holland. All this excitement, plus the F.A. Cup Final replay, left Old Barney suffering from a surfeit of football on May 23rd, 1981.

Mornin' ter orl on yer. An thankyer werry much fer orl them letters o' serport bowt the new Norfik Skwit Party. Thass good ter know peeple reely ceer, an weel be lettin on yer know when we corler publik meetin ter sort owt propper orgnysashun afore long. Probbly be nuff ter fill willuj horl, an weel hatter lay on sum sanwidjes anner cupper tee arter.

Heyyer hadder gutful o' orl that bloomin footborl larst few weeks? I dint mynd hevin a snowt at the Cup Fynul when that wuz on fast, cors thass tredishnul ter plonk yerself down wi' cuppler pynts an joyn in when they sing Abyde wi' me. But orl that skwit aforehand dunt mownt ter 'lot, dew it? Who they beet, an wot thy hed fer dinner. Then thasser dror arter extrer tyme an moost onnem coont crorl downter the pub forrer jar let loon hoss rown on lapper honner cors they hent lorst.

Cor, that mearke yer smyle when yer member them ole players lyke Dixie Deen an Passy Varko. Belt upandown orl arternewn an still hev nuff enjy ter byke hoom an help git the grub riddy. An dunt they git sum pook these daze! Thass wot caws inflearshun . . . givin onnem moor an' wot yer git trew the tannstyles.

Ennyhow, wunt ner cop lookin fer qwyet nite down Datty Duck when that fynul wuz played agin, an then they hev that lot from Ipswitch a' lewsin an winnin at searme tyme over in that Dutch country.

They brort hoom that Yewfer Cup, an dew yew know they

31

Sum onnem coont wak it owt when Ipswitch git the cup thow they lorst far – tew.

corld orff darts match down the pub an bandund the raffel fer the week. Yeh, they pulled them cattans, an we orl hatter sit down an weart fer the telly ter worm up ahynd the cownter. Dint reely fanser sittin in the gents, so I gotter seet syder tew blooks in the willuj wot serport the Town. Up frutter the rest onnem we wuz.

I arnt byassed wun way or thuther, but mooster them clyenys wunt harfer hollerin an larfin when them Hollunders hossed in a gool an jump up and down eech uther lyker looder fewls. Sum onnem coont wak it owt when Ipswitch git the cup thow they lorst far – tew.

"Thass over tew legs" say Knocker Bartram, wearvin his blew an whyte scarf unner thar snowts an knockin backer pynt fitter bust so he kin hev fyve moor afore they blow fynul whissel.

They nearler gotter fytin, wi' orl them Norridge serporters tearkin the jews an charntin, till Cloddy say that wuz propper sorft actin the goot lyke that. "Leest Ipswitch win suffin when they lewse. I say we orter be a bit magnermannyus an say good luck for wotever theyre dun, cors Norridge oont be playin' em next seezun less feart throw them tergather in dermestick compertishun."

Tyme they wakked that lot owt that wuz neerly cloosin tyme. Kocker giiter rownd in an say he hoop Bobby Robsun dunt cleer orff frum Portman Rood.

Oh, afore I go, Iyre gotter tell yer good 'un bowt Gibby Painter an his chickuns. Heer got twetty owt the back, an theyre bin suffrin a bit wi' orl this rearn weer bin hevvin. Cloddy say heer gotter good idear ter keep em dry why they wuz owtsyde. "How the hell dew yew dew that?" say Gibby. "Eezy," say Cloddy. "Yew jist stick wyre nettin on the sosh so worter run down onnit!"

Mynd how yer go this Bank Hollerday. Rummin how they keep cummin rown ent it? Be nyce ter them wot serport nuther footborl teem, even if that is better'n yors. An dunt yew fergit . . . Dew yew keep a' troshin!

Lucy, sheer cleerd orff, an Cloddy wuz feelin propper ruff.

◇ *LOVE TURNS SOUR* ◇

Cloddy Gates set tongues wagging at the Datty Duck when he started walking out with Lucy. Now, nearly eight months later, it becomes obvious that the romance has hit a rocky patch. Old Barney was itching to pass on the big news when he called in on June 13th, 1981.

Mornin' ter orl on yer. Iyre gotter bitter lokul skandel bowt Cloddy an his fynansey. Theyre split up, hent ther, him an that mawther Lucy arter gorn tergather sinse larst November.

We thowt that wuz whooly seryus cors he borter down the Datty Duck an hossed a few Babysham itter har. She can sink 'em, I kin tellyer, an they seemed sorter med fer eech uther, wot wi' har gittin rownd in anorl when Cloddy feel lyker pynter myld.

They dint git engearjed fishul, but that did peer ter be jist matterer tyme afore they tyed the not an settle down ter Crossroods anner nyce cupper tee afore Cloddy tearke the dawg forrer walk while she git his sanwidges riddy fer' mornin.

Enny how, thar relearshunship he' cum ter noffin, an I ent spryzed way Cloddy wuz hullin on' em down his neck thuther nite. We know suffin's up cors he arsked wot weed lyke ter drink – an he bunged forrim when we say dubbel wiskeys.

Gibby Painter, woss bowt as suttel azzer tank tryin ter cracker wolnut down the plarntin, he say ter Cloddy, "Woss Lucy gorter look in learter fer yew ter tearke har for fish'n' chip supper? Sheez puttin on bitter weart, ole partner . . . are yew sartan she ent in the club and yewre gotter git the rusks an Cow an' Gearte in?"

That did it. Cloddy towld him ter sling his flippin hook an look arter his own bizness afore he clipped his lug or kicked him up th' plearse wheer that hat the moost.

I dint know noffin bowt it when I cum in forrer packit o' nuts anner mardle. I thowt Cloddy wuuzer bit put owt cors crickut teem hent dunner lotter cop wi' owt him umpyrin. Bilko Butterfield dunno when ter stick his finger up, dew he?

"Dunt yew wurry bowt it, ole mearte," I say. "Thatell be orrite when they kin git sumwun ter swing' it from the Tannip Fild End. That mearke orl th' diffrunse, yer know, wot that borl dew in fast ten overs. Rekun they orter hevver wad wi' that yung blook woss bin tearkin orl the wikuts fer . . ."

Well, I hent finished afore he fly at me an say wot the hell dew I know bowt it. If I coont be ner moor helpfull I mite as well cleer orff an cleen the bogs owt. "Wot the hell's up wi' yew?" I say. "Go' an tearke long run orffer short peer," he say . . . an that dorn on me. Lucy, sheer cleerd orff, an Cloddy wuz feelin propper ruff.

That tanned owt sheer brook it orff cors Cloddy wuz stiller yappin on bowt crickut thow she sed he coont dew n' umpyrin this summer. Ho got wunner them ultymeartums . . . cricket or the mawther. He ent'as darft as he look. He say heel be owt in th' middel next Satterday.

Good ole Cloddy, I say, crickut'll be bowt heer long arter sheer gone. So that dew seem heer med the rite dersishun fars' Iym consarned.

Oill tellyer how things are shearpin up next week when I hoss in fer nuthher littel natter. Mynd how yer go, an tell them mawthers woss reely portant in lyfe – crickut frutter crumpit! Dunt let 'em git on yer wick tew much, cors they dew git the teez riddy an hev thar ewses.

Iyre towld Cloddy – keeper streat bat, leeve har in the owtfild . . . an dew yew keep a' troshin!

◇ HOLIDAY PLANS ◇

We all need to get away from it all now and again – and Cloddy has good reason to want a holiday break in the wake of his broken romance. Old Barney's rural report on Saturday, June 20th, 1981, made it clear that seaside delights were beckoning, with Cloddy booking up for a fortnight at Hemsby.

Mornin' ter orl on yer. Wether crearze yer, dunt it? Rum ole mixtyer weer bin gittin, an thass spoozed ter be brite an' bewtiful in middler Jewn. Wot bowt orl them poor beggars on hollerday wi' a looder kids? Sink thass charmin when thass tidllin down longer that Goldin Myle an the littel hellyuns are blarrin fer sum moor munny.

Rite gamble, ent it, fixin up yer hollerday an hoopin thatell stay fyne long nuff t' enjoy yarself. I menshun it cors Cloddy hebbin yappin bowt hevvin breark way frum it orl till he git over his moshunal upheevel arter that mawther Lucy brook it orff. He say thass tyme ter git lyfe itter prospective, an heer booked wunner them challets down Hemsby forrer fortnite.

That dew tearke suffin owter thordinery ter git 'im ter part wi' summer his lewt, an heer promised ter bung for me anorl if Oyll go longer 'im. "Yew hent got ner tyes," he say. "No, but I weer chooker," I say ter him. He dint larf cors heez propper unner the wether. He ent gorter hev noffin else ter dew wi' wimmun cors yer carnt trust 'em, an theyre oonly arter wun thing. "They wotter mearke yew lyke them: they dunt unnerstand yewre gotter be yarself at orl tymes, hevver few jars an go 'an see the boyz down crickut club now an' gin. . . ."

I dunt git itter no argrements bowt orl that skwit. Med up m' mynd sevrul yeer back arter bitter trubbel wi' wunner them mawthers owter the Land Army. She cood cook bitter grub; she lyker harf an we go darnsin few tyme, an she dint harf hoss rown in th'ole Pally Glyde.

Cloddy's dewin bitter umpyrin this arternewn, so weer bownd ter hevver jar sewn's gearme is over.

Bit sweet on har, I wuz, but I dint hev lotter munny ter go gallerwantin evry nite. An thass wheer that go rong ... she wotted things I coont ford, so we hevver sensibul littel clack tergather down willuj horl arter soshul dew, an she dint bother me ner moor.

Cloddy carnt dew that. He cleer orff an' sulk when things are bit humpty. We thowt theer mite be sum sorter rekunsillyaershun on way when he bort tew packits 'mixt nuts down Datty Duck thuther nite – but he sit an' hoss booth onnem itter hisself.

Dunno reely wotter dew fer th' best. I arnt the hollerday sort ... thass tew much slarver fillin sewtcearses an gittin cleen sheets back frum th' lorndry. Then theers orl them crowds josslin an' bumpin itter eech uther on way ter the bingo or th' pub. How the hell kin yew say yewre hevvin good tyme when theerz sand atwin yer tooz an in yer bellybuttin, an yew scrorp orl nite when that itch an' git on yer wick?

Trubbel is Oim fritened Cloddy mite dew suffin darft if he go on' his own. He kin be bitterer newsunse if he gitter few down on' im, an arter his rum dew wi' Lucy, that mearke yer wunner if hees fit ter fearce th' wald.

Cloddy's dewin bitter umpyrin this arternewn, so weer bownd ter hevver jar sewn's gearme is over. Way owr lotter bin battin, they mite hatter opin bit sewner n' ewsuyal. Weel hev yarner tew, an see wot sorter mood Cloddy's in. Cor, that'd put tin hat onnit if Lucy cum in! Dunt spooz she will cors that'd propper barrass poor ole boy. I wotter git owt onnit if I kin. Hemsby, thass bit hectick fer me. But if wass cum ter th' wass, Oill go wi' im an howld his hand.

Mynd how yer go. Dunt let thet sand git atwin yar tooz. Try an larf thow y' are on hollerday. An dunt yew fergit upandown them dewns ... Dew yew keep a' troshin!

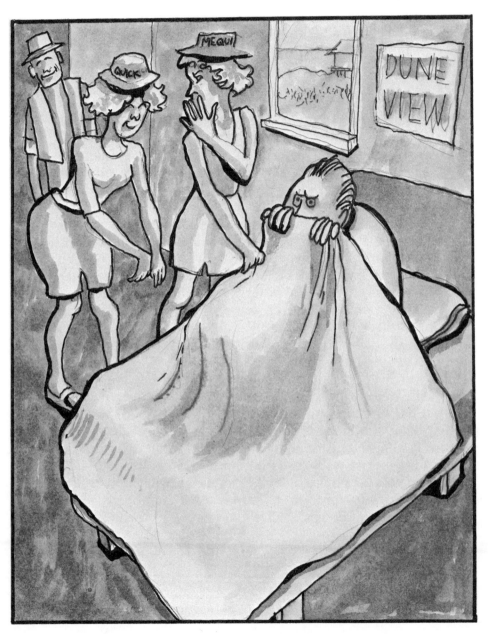

Thuther wun bust owt larfin. "Ent much poynt sujjestin strip pooker . . . heer wun afore we start!"

◇ *CHALET CHARMERS!* ◇

Old Barney couldn't resist the call of the briny – and he wasn't happy at the prospect of Cloddy going away on his own. So off they went to Hemsby for a natural break. But the holiday didn't quite go as planned. This seaside postcard report arrived on June 27th, 1981 – delivered personally!

Mornin' ter orl on yer. Well, Iyre bin – an Iyre cum back arly anorl. Arter lotter delibererashun, I went wi' Cloddy ter Hemsby fer wunner them brearks when yew sort things owt, but that dint wak owt lyke that.

Heed booked up forrer fortnite ter try an' git over his brooken romanse, an he dint even tearker pitcher that mawther Lucy ter stick syder his bed in the challet.

We hossed hoom larst nite. Weer bit brown, but mooster that is rust. We wuz shacked up in this heer cut corled "Dewn Vew", an that wuz trew. Yew cood see them dewns when yew garped owter the winder – an yew cood see sum rum gowins-on ahynd em when that wuz jist gittin dark. Cloddy say that wuz disgustin, an that upsit him no end cors he fergit his Parranoyd camrar.

Fast cuppler daze wuz streartforrud enuff, wi' fish 'n' chips fer dinner an tee, an few cockuls ter git down onyer afore yer wernt ter kip. Mearke yer brorch a bit, but nyce forrer chearnj.

Trubbel start when Cloddy lorst his folse teeth inner bloomin gret sticker rock he wuzzer chowin ittew in middel o' nite. He med hulluver row, an that wook 'em up next daw. Cloddy dint wotter see nowun stearte he wuz in . . . teeth owt, jarmer bottums orl over the shop an hollerin bowt rubbish they dish owt on Nashnul Helth thees daze.

Cloddy wuz lashin owt tryin ter fynd liyte switch when theer cummer bang on the dor.

"If thass Lucy dunt yew let har in . . . I towld har Iyre got

41

orl m' own teef," say Cloddy. I went ter see who that wuz corlin onnus that tymer nite. Slung on m' ole weskut cearse that mite be sumwun portant.

Cloddy hyde up unner the sheets a' tendin he wuz sleep when thees tew bister stuff cum bastin in arskin if theer wuz ennthing they kin dew ter help. They say they wuz nasses on hollerday, an they coont help heerin orl that palarver.

Think theyd hadder few cors thar Kiss Me Kwick hats wuz on the huh, an they sorter slarred when they spook. They keep gigglin when they see Cloddy spraddled owt on th' bed. "Tell 'em Iym akip," he haller.

"Woss he ill er suffin?" say wunner them mawthers. "Sewn giv' im a tonik if his ole guts is playin up, then we kin hevver gearmer cards." Thuther wun bust owt larfin. "Ent much poynt sujjestin strip pooker . . . heer wun afore we start!"

They keep a' nudjin wun uther, an Clordy wuz barrassed. "Cleer yew orff," he chunter. I thowt them blooms wooder dyed larfin. They start proddin an pookin at Cloddy whyle he pull cownterpin over his skull . . . an then wun onnem let owt marsters yorp. Sheed jammed on his dentchers, an that whooly put the wind upper har.

"Dunt yew git yar britches inner twist," I say. "They wunt byte less yewre propper strearnjer." That dew it . . . she horl up har skatt, an belt owter theer lyke a scolded cat. Har mearte went anorl, muttrin bowt hevvin bitter fun wheer they wuz preshiearted.

Cloddy cumowter hydin an med shure his teeth wuz orrite. He dint he' ner moor rock, an we hev noffin ter dew wi' enny o' them mawthers afore we cum hoom. He say he kin dew wi' propper hollerday now.

Dassent tell 'em down the Datty Duck bowt his teeth. Oyll keep that wun unner m' hat forrer rearny day. Better git down the lotmint. Bownd ter be pletty ter dew arter week away. Mynd how yer go tergather. Hang otter yer teeth if yewre gittin stuck itter summer that rock. Dunt git crorssoyed snowtin at the Wimbeldun tennis . . . an dew yew keep a' troshin!

◇ *PICK YOUR OWN* ◇

High summer. Strawberries and cream. Wimbledon coming to a climax. Old Barney and Cloddy Gates didn't appear in the men's doubles on the Centre Court, but they certainly caught the flavours of the season. The net result was this report on Saturday, July 4th, 1981.

Mornin' ter orl on yer. Rum ole week, garpin at tellerwishun an then hossin orff ter dew sum frewt pickin down Gallants Farm. I hant ment ter go, cors that gi' me marsters backake spraddlin crorss them rows, an yew kin heer them mawthers yorpin an moanin bowt thar lumbeargo whyle they keep boppin upandown.

I went longer Cloddy, cors he say heed lyke wunner them fanser tees they hev' at Wimbeldun. "Yew kin pick yar own so Oyll hev sum gret big jewsy wuns," he say. I tell 'im yewre gotter bung for 'em an orl, but he still say he watter go. "Thass good natrewl grub when yew git the slugs 'n' flys owt onnem. They go reel treet wi' bitter that vaperearted milk," he say.

We go orff in th' mornin so we kin hevver garp at the tennis learter on arter weer put owr bykes back in thole shud. We git twetty pownder strorberrys, an that wuz feer job cummin up th' hill wi' that lot balansin on the handelbars. Dint help when the chearn cum orff.

Cloddy tearke moost onnem rown ole Miss Humphreys, an she opend har pass an wuz gorn ter pay twyce as much as wot they corst us. That ent that much, I say, an she wuz ever ser greartfull, an say weer good boys ter think onner lyke that, an we kin hevver jarrer jam eech when sheer med' it. Cloddy say thass orrite, but that wuz cuppler bob extrer fer gowin. "Woss that yar petrul munny?" I say ter 'im.

Cloddy he' got wunner them rented tellerwishuns wot

43

*Yew kin heer them mawthers yorpin an moanin bowt thar
lumbeargo whyle they keep boppin upandown.*

giyyer cullered pitchers. He lyke the sport onnit, an that ewsed ter crearze his mawther Lucy afore she dunner bunk fer parsnul reezuns. Dew yew know, he watted ter charje me fer tearkin a snowt, but he chearnjed his mynd when I say Oyll dew the tee fer booth on' us.

I lyke crickut best, but I keep Cloddy cumpny seein's how heer hadder ruff spell leartly. He say Wimbuldun is a sportin institewshun, an if yew arsk me thass zakkly wheer sum onnem orter be way they cart on argerin an showtin jist cors theyre lewsin.

That biggotty Yank – I corl 'im Mearkinrow – heez wass 'an a kid woss lorst 'is sweets down the skool drean or had 'is teddybeer pinched. Cor, if crickuters hollered at the empyre an stomped rownd a' cussin lyke he dew – theyd git sent orff, wunt ther? Condors, he keeper gruntin ter put thuther blook orff, but that dint wak ginst that IceBorg feller. He dunt mearker deen bowt noffin, an I hoop that Mearkinrow dunt tann inter' Sweedbasher this arternewn.

Few mawthers clack on anorl an put thar parts on, but I dew lyke that Miss Handitover or suffin. She look lyker Red Indyun wi' that necktye rown har skull, an thass orler fashun in owr willuj down the tennis club. They allus imitearte wot they see on the tellie, dunt ther? Thassorrite long 'as they dunt start gorn on the worpath an scalpin onnus!

My fearvrit frum few yeer back wuz that Berzillian mawther Marear Beano. She played har strooks lyke that Tom Grearvy – orl ellygunse an grearce.

Spooz Iyll be garpin at the blooks fynul rown Cloddys, an we mite hevver jar o' tew searme's the Cup Final. My munnys on the Sweed, cors I carnt stand that cantankrus Mearkinrow.

Well, mynd how yer go. Git berhynd England in the Test matches. Dunt matter if yewre player or specktearter . . . be a good sport. Allus smyle when yer cum sekund . . . and dew yew keep a' troshin!

*"I nivver wotter clap oyes on har agin. She kin hev 'ar fanser blook.
I dunt·need har!"*

◇ *LUCY FINDS ANOTHER* ◇

Despite his holiday at Hemsby, it was obvious that Cloddy was still brooding at the demise of his relationship with Lucy. But if he needed a push in the right direction, it came on a little expedition to the pub in the adjoining village. Old Barney was there to bring all the latest news on Saturday, July 11th, 1981.

Mornin' ter orl on yer. Heyyer dryed owt yit arter that looder rearn? Blarst, dint harf hull' it down, dint it, an that wuz runnin owter backer m' overawls for I cood git indaws from the lotmint. Jest dunner dropper wortrin the wejetabils. Tipikul, I thowt, when that tunder n' lytnin git tergather an play luverly tewn up buv.

Cloddy wuz stiller broodin bowt his brooken romanse. "Wuh, fergit har," I say. "She wunt ner cop ter yew, boy. Git yar things on an cum forrer pynt." "Thass bit arly ter mix longer the jenrul publik," he say. Silly tewl, ennywun'd think heed hadder def in th' famerly stedder bitter stuff cleerin orff an nut afore tyme anorl.

Cloddy cum down Datty Duck fer littel whyle larst nite, but he wunt hisself. Gibby Painter dint help a lot, wisslin the weddin march as he cum strowlin in. "Who rattled yar troff!" say Cloddy, propper narked, an his fearce tannin papple, neer fit ter bust.

I hedder yarn wi' Cloddy cors he look rite misrubel sittin on his own wi' harfer myld an packiter them theer solt 'n' wineger crisps. "Yew carnt keep gowin on like this heer," I say.

"Theyre bownd ter tearke the jewse when they see yew orl cut up an pynin. Dunt give 'em the charnse boy . . . show 'em wot yewre meddon. Larf an the wald larf wiyyer . . . sit on yer 'own an look lyke rite grizzelguts an yewll allus be on y' own."

Cloddy grunted, push his ole cap ter backer his skull an he say ter me, "But I dew miss har, Barney. I hent bin in luv seryus afore, an that dew leeve yer wi' reel emty feelin in yer' ole guts. Shood I ryte ter har an say she kin cum back, an I luv har an I miss har . . ." Thowt he wuz gorter blarr. Hent sin 'im upset lyke this afore. So I larfed.

"Dunt be ser bludder sorft. She cleered orff, dint she? Rattlin on bowt yew allus gowin ter the pub or the crickut . . . she knew wot yew wuz lyke afore that orl git romantik . . . dunt yew fret, m' ole bewty, that ent yar folt, thass hars! Sheer med har bed, so let har lye onnit . . . let har stew in har own grearvy. Cum yew on, less git it' owter yar sistem . . . weer orff ter nixt willuj. Dunt know ser much bowt' yer down Buncher Grearps. Git yar sewt on boy. An less see a' smyle yer borrin ole fewl!"

That dunnit. We git Gibby's cussin Les ter giv'us a lift, an he say heel cum ter fetch us bowt cloosin tyme.

That wuz wunner them diskoniytes at Buncher Grearps, wi' lites hossin upandown fitter blynd yer an that rejjie musik blearin owt ter deffen' yer. Coont heer wot Cloddy wuz on 'bowt, but he peered ter be hevvin good tyme.

Then he lump itter me an I thowt heed sinner goost. "Wossup?" I say. "Over theer boy . . . look! Thass my li'l Lucy wi' sum heery blook owter th' willuj. Sheez howldin his hand, an theyere garpin itter eech uthers oyes. That huzzy! That Jezerbell! Oyll gi' har wot for!"

I hatter fang howlder 'im pritty sharpish cors he wuz gorn over ter starter rite cumoshun. "That dew it!" he holler. "I nivver wotter clap oyes on har agin! She kin hev' ar fanser blook! I dunt need har . . .!" He wuz still showtin as we go owt. We muster walked bowt tew myle for Les meet' us in his ole Ford.

We hatter git in the back munger chickun fethers an orl them bits an' peeses. Iyre gotter skullearke's mornin, but I rekun Cloddy he' got the messuj orrite thow he mite not feel ser sharp. Wimmun! Wot are they lyke!

Shood be fit ter drop in fer nuther l'il yarn wiyyer next week. Hoop wether stey fyne fer wunce, but if that dunt, yew mussent let it git yer down. Mynd how yer go. Put up yer breller if that rearn – an dew yew keep a' troshin!

48

⋄ *ROYAL SALUTE* ⋄

*It was inevitable that the Royal Wedding of July, 1981, should
provide the perfect excuse for another big celebration in Old
Barney's village. In common with many others, they laid plans
for a memorable event to involve the whole community.*

Mornin' ter orl on yer. Jest wun thing theyere clackin bowt in
the willuj – that bloomin gret dew up Lunnun nixt Wennsday.
Rekun they lyke good scuse fer bitter darnsin' an' eetin owr
way. Oonly jist took flags down arter that Jewblee – or wuz' it
Coronerashun?

Now thassorl gorn' up gin fer th' Royle weddin atwin
Charley an Dyanner, an that dew mearke thole plearse look
bit bryter speshully when thass tiddlin down wi' rearn.

Mawthers wotter got kids at skool say they watter hev
street party, an they dunt spect ter see that tanned itter
nuther wunner them orl-day beerups down the Datty Duck
lyke that wuz fer Jewblee.

Gibby Painter's folt. He dunt jewse it' up lot hisself, but he
dew tender ter leed thuthers on when he hent got noffin
better t' dew. He sorted owt wunner them cearshnul lysunses
fer the pub, an orgnysed drinkin match atwin tew teems.
Tanned itter marathun, dint it, an they wuz still hossin' em
down harparst nyne owtsyde the pub an kickin up helluver
row. Sink so an orl cors they cum unner starters orders afore
dinner tyme.

Heer promised ter keep his snowt owt onnit this tyme, an
them mawthers he' formed ackshun groop ter git the whool
job riddy. Theyre hevvin bitter grub an fanser dress
compertishun fer the kids, an disko anner raffle down the
horl f' thowlder pepple arter tee an theyre sin orl they wotter
see on the tellerwishun.

Spooz kids'll dress up lyke Charley an Dyanner, but judjes
hev warned 'em theyll be lookin fer suffin owter thordinry.

*Them mawthers he' formed ackshun groop ter git the whool job
riddy.*

Gibby's nefew Gregory, woss twalve, he let owt hees gorter tan up azzer weddin cearke, an heer hadder dinger the lug orffer his muther orridy fer nickin stuff owter har cubberd.

Heel look a ryte tewl wi' orl that pink iysin on! Dunt think hees orl theer mesself, but heer gotter lotter sustifigates fer musik. Gibby say hees reely varnsed fer 'is earj, an got orl the kwolitees ter be polertishun. Oh, I say, dew he tell lyes an haller at them wot oont lissun? Gibby git the hump an chunter on bowt sum peeple dunt preshiearte talint.

Cloddy's ginst the whool thing. Ent cors he ent patryiotick or cors hees frytened ter spend a few bob. Thass ter dew wi' his brooken romanse. Heez tryin ter git over 't, an orl that serrymonial, thas bownd ter bring 't hoom tew 'em ent it?

Heer sent the tellerwishun back ter the shop, heer unplugged the wyreluss an cansilled pearpers till ender the week. Carnt see how thatell dew enny good, cors if he dunt know woss gowin on heeser site darfter 'an I thowt he wuz.

Iyre towld 'im tyme is a gret heeler if yer dunt garp at the clock. "Yew hent bin in luv lyke me an then bin jilted," he say. "Thass suffin wot leever skar fer rester yer natrel." Wotted ter tell 'im he cooder got marryd fer wasser rather 'n better – but thass bowt tyme we let the whool job rest.

When yewre hevvin good tyme Wennsday, jest yew speerer thowt fer poor ole Cloddy on his own. An Iyre gotter speshul Norfik messuj fer the Royle cuppel ... Dew yew keep a' troshin!

His iysin start ter melt an that wuz runnin down his lugs an itter his gob afore they dun the judjin.

◇ ICING ON THE CAKE! ◇

Old Barney's colourful report on August 1st, 1981, underlined the success of his local street party, and the fancy dress competition that went with it. Then he turned his thoughts to a Datty Duck darts club outing to Gorleston a few years before – when there was a fancy dress parade on the beach!

Mornin' ter orl on yer. Nyce dew that Royle weddin wunt it? We hedder rear ole neez up at the street party, an that went orff well. Wunner tew did git few tew menny down on 'em an wunt up tyme fer wak Tharsday. Kids seemd ter joy it th' moost wi' thar fanser dress compertishun, gearmes an bitter grub on tearbles set up down the street frutter Datty Duck.

Gregory, Gibby Painter's nefew, woss twalve, he wun the fanser dress arter orl. Member, thass 'im wot got hisself dolled up lyker weddin cearke. His iysin start ter melt an that wuz runnin down his lugs an itter his gob afore they dun the judjin. Arter he git his pryzes, nyce packiter pensils, tinner sweets an free day owt ter Hunstun, he hatter lick orl that iysin orffer his chops an dew lapper honner. Gibby ent harf prowd onnim, but I still rekun heezer sissy.

Weer cleered up, an savrul onnem he' gon ter Gorlstun terday. Me an Cloddy hadder few daze at Hemsby inner challet nut long ago. Ent shure if heer bin ter Gorlstun. I hev, an bloomin good tyme that wuz anorl.

Darts club owtin few yeer back. Gibby dew mooster th' orgnysin, so thasser wunder we dint tan up at Wells or thuther syder Blearkney. Rite tewl when that cum ter sortin owter rewt, an he hent had th' job sinse bus got lorst on way back from trip ter Linn speedway.

How the hell we git ter Peetburrer weel nivver know. Dryver say he wuz tearkin struckshuns orffer Gibby, who tork's thow he know the lot. Shooder bin back at the pub afore cloosin tyme, but we hoss in jist as thole lanlord wuz openin up fer next day! We hatter tend weed hadder puncher cors we spent hellanorl moor than weed got on petrul.

This heer trip ter Gorlstun, that stan owt in mer mynd, an nut jest cors I gotter bit merry an fanged holder suffin on way hoom. I hatter say suffin cors I carnt rekullect who clipped me rown the lughool an towld me ter sling m' hook.

We hedder few gearmer bingo when them mawthers wuz fed up standin owtsyde the pubs whyle we wuz singin an hevin larf mung owrselves. Three owter owr lot win pryzes . . . but tyme they wak owt the numbers inner row, sumwun else corl howse.

Best bit onnit wuz the big paddel. Rekun thass oonly tyme Gibby wosh his feet, an praps thass how that perlushion started. I kin see 't now . . . twalver thateen blooks lyned up an lettin wearves rowl over thar trowser tannups. Mawthers jumpin an gigglin an howldin thar skats an showin bitter bloomer. Pitter we dint hevver camrer ter captcher the happy seen!

If yewre on hollerday, or gorn sewn, hoop yer hevver good larf. If yew gitter lyne at bingo, giver haller so sumwun else dunt clearm the pryze. That kin still be orrite at the seesyde if yer know heer ter go. That ent orl cander floss, an hoss muck an plastik cupser warm beer. Snowt rown, and yewll fynd summer that ole wald charm.

Gitter few cockuls down on yer – an dew yew keep a' troshin!

◇ *FLOSSIE ARRIVES* ◇

A new character emerged on the rural scene on August 15th, 1981. The formidable Flossie Crabtree was about to make a considerable impression – not least on the regulars at the Datty Duck. A former district nurse, she had plenty of medicine left to dispense.

Mornin' ter orl on yer. Dew yew git new peeple moovin itter yar willuj, an that tearke bitter tyme ter git ewsed tew 'em? Well, weer got wun ole gal woss bin owr way fer weeker tew now, an that ent eezy ter git the drifter wot shees on bowt.

Sheer bort the bungerlow wot the Charltons hed afore he, cleered orff wi' that yung bitter stuff an left har in the larch. So much onnit gowin on nowdaze. I felt sorrer fer har . . . nyce mawther, thow she dint sayer lot sept when she go owt forrer clack at bingo. Ennyhow, sheer sowld up, an this heer Flossie Crabtree he' mooved in.

Ewsed ter be distrik nass or suffin, probly wunner them wot went rown the skools pickin nits owter the kids skulls. For orl he say, I rekun Cloddy's a bit sweet on 'er . . . thass Flossie say this, an Flossie say that. He medder jook up. He corl har Dick Tarpin, cors she ewsed ter stand 'n derliver when wimmun had thar kids in the country. Yew know, pletty hot worter an blankuts, an nyce cupper tee arter. Mynd yew, that wuz afore tellerwishun, so they hent got much ter dew when thole man cum hoom an the kids he' gone ter bed. Dunt see ser menny big famerlees these daze . . . thass corser that contrerdickshun pill an Crossroods.

This heer Flossie Crabtree sheer dunner feer bitter book larnin. She yap bit posh, but she dew muck in when sheez in th' mood.

Larft thuther nite when she hoss iteer Datty Duck an hev wunner them smart drinks wi' cherry stickin owter the top onnit. Corster bloomin fortewn stuff lyke thet . . . but thass

Wunt be menny on' em in the willuj tearkin har on. Bowt learte fiftees, I spooz, but reel smart.

wot them mawthers lyke ter drink if they dunt sting yer fer wodker'n' oranj.

Blooks cum in frum harvist filds, they feel bit mucky syder har in har pleeted skat an nyce cleen blowse. But she dunt he' no syde, an Cloddy know heez onner good thing when she pay for 'is pynter myld.

That start th'elbers nudjin an skulls tannin. "Cor, he sewn git over his brooken romanse, dittee?" say Gibby, who stick his snowt itter moost things when that ent wotted. "Fill yar bewts, Cloddy, yewre goter needer nasser sorts afore long when yewre drorin yar penshun an lumbeargoos playin yer up!"

Cloddy wuz bit barrassed, but that wuz noffin ter how Gibby feel when Flossie spin rownd an arsk him streart if he allus intarrupt peeple woss hevin soshubel chat.

"Perhaps you'd like to put a pertinent point to the assembled gathering, Mister Painter. I'm sure we are all waiting with baited breath to hear your next pearl of wisdom." Poor ole Gibby . . . muster wished flaw wooder opined an swollered 'im up!

"Dint meen ter be rewd, Miss . . . thass jist that . . .". He dint git ner father. She stork up ter 'im, pull his chooker frum rown his neck an stick that rite itter his mwoth. Wunt long for he med his scewses an went hoom.

Yeh, sheez a rite rum ole gal. Wunt be menny on 'em in the willuj tearkin har on. Bowt learte fiftees, I spooz, but reel smart. I sharnt jump ter no hearsty clushuns, but I gitter feelin Cloddy mite be hangin his hat up theer for weer much owlder. . . .

Gotter hoss orff ter see chap bowt sum rabbets heez gorter let me hev cheep. Mynd how yer go, speshully if yewre gittin the harvist in. Keep gittin them farses down onyer . . . an dew yew keep a' troshin!

*They rekun he wunce giver lbw dersishun topinder Starlings
Medder whyle he wuz stiller dewin his flys up hind th' stingin
nettels.*

◇ *BILKO'S RETURN!* ◇

One result of Cloddy's attentions being directed towards the village newcomer was to leave the way open for the notorious Bilko Butterfield to make his comeback as a cricket umpire. His antics came under close scrutiny on August 22nd, 1981, when Old Barney had plenty to report.

Mornin' ter orl on yer. Feer bit ter git trew, so Iyd better git bizzy. Fast, I orter bring yer up ter dearte bowt Cloddy an that theer districk nass mawther, Flossie Crabtree. Theer dew seem ter be suffin in th' wind, cors they left Datty Duck tergather arter darts match Tewsder nite.

Thass nut lyke Cloddy ter go afore cloosin tyme, an we hatter wunner wot wuz up when he leeve bit in th' bottumer his pynter myld. Dunt spooz heeder left't in the top, but yew know wot I meen. Snowts pressed up ginst the winder, but that wuz tew dark ter see if they wuz howldin hans or ennything lyke thet.

Dunno why peeple hatter stick thar konks itter sumwuns parsunel bizness, but thass how that allus peer t' go rown owr way. They dunt meen ner harm, but sum clyent lyke Gibby Painter, whoos propper trunky an rite ole crakpot itter the bargin, kin allus caws trubbel.

Hent bin earble ter git much owter Cloddy cors I hent sin lot on' im. Arter orl that skit wi' Lucy, hoop he ent gorter go an stick his gret feet itter nuther pyler yew-know-wot. Orl them yeers wi' owt a womun, an now hees tannin itter rear ole Romeyo. Carnt think this Flossie's on the mearke. She seem streartforrad sorter mawther, an praps she kin see suffin in Cloddy wot ent tew obvyus ter rest onnus.

Wi' Cloddy owter sarculashion, they hatter arsk Bilko Butterfield ter dew bitter umpyrin fer evenin matches, an thass arter they swoor heed nivver stick his arms trew thowld whyte coot agin. He slarp lotter booz itter him afore he go owt, an I dunno how he kin dew that job propply when he keep runnin orff forrer sweet pee. They rekun he wunce giver lbw dersishun topinder Starlings Medder whyle he wuz stiller dewin his flys up hind th' stingin nettels.

Boys hedder cup nockowt semmerfynal Tharsday, an oonly lorst ber thatty nune runs. Them wot wotched say fyver wizzters wuz propper ror way Bilko gi' em owt. Wuh, tew onnem wuz tearkin gard when the borl hossed itter the stumps. Bilko say thass guttin dark an thass in best intresster the gearme ter keep whool thing moovin.

Thinker cumplearnts gorn itter thorgnysin cummittee, but theer'der bin linchin job if owr lot'd wun. Weer owter orl them compertishuns now, an lot onnem'r gittin fit for the footborl. Thank the Lord Bilko ent kwick nuff ter be refree!

Rekun him an Gibby are sponsibul fer mooster the aggravearshun in the willuj. If they dunt start't evry tyme, they allus seem ter be riddy ter starr't up. We corl 'em Lorrel an Hardy, wi' Gibby lyker yarder pump worter, an Bilko trearpsin rownd wi' beer gut hangin over his belt.

Weer got harvist supper cummin up sewn an thass allus good dew. They orckshun the flours an prodewse ter rearse munny fer chatch funs and ole peeples owtin. Thass smeller orl that hoom med bred an sownd onnem singin "Orl is Searfly Gatherd In" wot mearke me think bowt the ole daze.

Mynd how yer go. Dunt lissun ter tew much skandul, an dunt parss it on if yer must. Keep owter Bilko Butterfields way if yewre battin – an dew yew keep a' troshin!

◇ HAPPY BIRTHDAY! ◇

A proud milestone for BBC Radio Norfolk – and their rural correspondent. The station celebrated its first birthday on September 11th, 1981, and Old Barney duly arrived the following morning to pass on his good wishes. He was delighted to emphasise that he'd been with them throughout that first year. . . .

Mornin' ter orl on yer – an happy baffday ter that lot at Reardyo Norfik! Blarst, that dunt seemer yeer sinse I fast started clackin tew yer onner Satterder mornin, dew it? Towld yer then I hent got nunner them GEC's, an I dint go ter high skool onner hill. But we arnt ser sorft as sum mite think owt in the country.

Pubs are moostly cleen an cumpny ent tew bad when yew way it orl up. We lyke owr mawthers wi' bitter meet onnem – suffin ter fang hold' on. Thow things dew hatter chearnj, I spooz, that dew feer t'be bit slower owt heer.

An thank the Lord for that, moost onnus say! Fewer them yung yellyuns dew mearker row on thar moterbykes, showin orffer bit, but I oont hev tew much sed ginst peeple this way. Wun thing, yew kin allus hevver feer seshun down the Datty Duck wi' owt lotter bother.

We hed darts owtin ter Yarmuff larst week, an that wuz tydy dew. Cloddy wuz lowd ter cum vydin I look arter' im, an I towld that Flossie Crabtree he wunt ner trubble thow he did hev savrul pynts itter him. Gibby Painter wuz the wassest lyke ewsual, an we hatter stop three tyme cors he wuz bastin forrer Jimmy Riddel. Sekund tyme he hopped orff the bus over the hidje he lorst his cap inner ditch, an we hatter jam it orl down afore he cood latch howd onnit.

Dryver wuz whooly good neartured – jest wot yer want onner day owt lyke thet – an we hadder cerleckshun. Wunt lot left tyme heed borter rown down Datty Duck.

Dunt rekun Oyll git on that theer brekfust tellerwishun cors mer teeth arnt the rite sort.

But he say thass reel pleshure ter tearke owter darts teem woss fit ter cum hoom searme day. Billa Howlett, thass' im. Knew his ole dad, Happy Howlett. Ewsed ter corl him that cors he wuz grumpy ole sod.

Lot onnem in the willuj, they lissun ter Reardyo Norfik, an that ent jest cors I he' this bitter skwit wiyyer. No, they lyke the lokul news, an them bits frum the busses fast thinger the mornin. An when they say Fearkenham, Swoffhum an Burrer Carstle on the news, wuh, yew know peeple in them plearses, dunt yer . . . an thass whoy yewre intrested.

An them wotsons arnt harf hander fer them wotter lookin fer suffin ter dew. Rekun thass orl gon down well, so that miters well keep gorn.

Oim greartfull ter this heer wyreluss stearshun fer lettin me hevver yarn wiyyer, thow yew miten't gree wi' evrerthing I say. Dunt rekun Oyll git on that theer brekfust tellerwishun cors mer teeth arnt the rite sort.

Arnt sart'n how much moorer this this lot'll put up wi' frum me, but they hev cerleccted ter buy me new pump fer me' byke. Carnt be tew bad, kin ther? Now weer gotter git fit fer nuther yeer on the rood.

Mynd how yer go targather. Nivver look's thow yewre lorster tanner an fownd a thrippny bit. My parsunel reargards ter themwot yap ter yer on this mycroffon when I arnt heer, an orl them enjneerin clyents wot git it tew yer. Keep brordcarstin . . . an dew yew keep a' troshin!

*Cloddy's bowt dew fer parsnul reverlushion, cors heer bin gorn
rown in sarcles long nuff on 'is own.*

◇ *PICKING BLACKBERRIES* ◇

Embarking on his second year as rural correspondent for BBC Radio Norfolk, Old Barney saluted the arrival of another blackberry-picking season when he dropped in on Saturday, September 19th, 1981. He seemed quite happy to keep out of the way while a certain couple surveyed the hedgerows. . . .

Mornin' ter orl on yer. Reer chearnj in th' wether this week. Rekun weer sin best onnit now, an that'll sewn be tyme ter git yer combinearshuns an wooly drors owter th' wordroob.

Cloddy hoop that stay fyne fer littel longer cors him an that mawther Flossie, theyre spoozed ter go blacbirry pickin terday an termorrer. Nyce wuns rown owr way, thow that tickel me how best' uns allus stay jist owter reech so yer go tiddlin itter the holl and them brambels when yewre tryin ter fang howld onnem.

We larf when Cloddy say hees gorn ter pick summer Muther Nearthre's bownty so they kin hev sum jam when snowborls ar' hossin bowt. That ent his sorter gearme, I say when they tell me down the Datty Duck. Then that dorn on me . . . Flossie's owt ter git 'im propper dumesticearted. Heel be bearkin an gittin grub riddy fer Sundy tee nixt if he ent ceerful!

Rum clyent, yer know. Wuzzer tyme he wunt harfer stuck his snowt up when sumwun say he orter go blacbirry pickin. "Wot me? Thass sissy stuff an new darts seezun start Tewsday."

Stiil, we orl chearnj, an that ent allus fer the wasser. Cloddy's bowt dew fer parsnul reverlushion, cors heer bin gorn rown in sarcles long nuff on 'is own.

Hatter smyle thuther nite when Gibby Painter say heer bin ter the dokter fer sum tablits cors he hent bin fearin tew sharp. Dokter arsk him wot his simptums wuz. Gibby say:

"Wuh, simptums Oim orrite, and simptums I dunt know which way ter tann corser them dizzer spells."

He git helluva skullearke arter darts owtin ter Yarmuff wot I wuz tellin onyer bowt larst week. Ent sprized he hent bin well siderin orl the stuff he hulled itter 'im. Sarve him rite: wunt be ser bad if he wuz ter git yer wun in now an' gin.

Iyre slowed down, hent' er. Carnt drink lyker ewsed tew. Moost onnit ent wath th' trubbel. Best thing ter say forrit is that keep yer regglar an cleer y' owt. Ah, so der likris orlsorts ... but I shunt wotter gollop tew mennyer them inter me orl the tyne.

When thees heer prufessors go on bowt the kwolityer lyfe bein better unner this heer skeme or that theer moovmint, they fergit sum onnus wuz kwyte happer way we wuz. Thass wot Iyre bin tellin Cloddy now heer got them romantik stars twinklin in them old peepers. Lyke ter see' im settel down wi' nyce bitter stuff wot git his tee riddy an iyron his shats an git his whyte coot riddy fer bitter umpyrin. But Flossie myte be tew waldlee fer lykser 'im. Binner frender' is long tyme now, so dunt rekun heel mynd m' offrin bitter vyce. Weel hatter see if he tearke n' notise.

Dunt yew go tippin over itter anny ditches an nettels, cors I miten't be bowt ter help yer owt. Dunt drink tew mucher that ole modin beer if yer dunt wotter be upandown orl nite. See yer nixt week, an weel see if we carnt fynd suffin ter larf bowt. Cum yew on, Cloddy – fill that barsket, bor! An dew yew keep a' troshin!

◇ OLD BIKE RALLY ◇

Old Barney has coped with all the elements on his weekly trips into Norfolk Tower – and his old bike has become a telling trademark. His visit on September 26th, 1981, came only a few hours before a planned salute to pedal-power along with his fresh-air friends at the Datty Duck.

Mornin' ter orl on yer. Woddyer rekin t' orl this flippin traffik? Crearze yer, dunt it, speshully when yewre on yer byke an tryin ter git hoom afore that tip down wi' rearn.

Harf thees posh moterists dunt he' ner tyme fer lykes' er us wot go stiddy an try to stick ter thole carb. They blow on them horns an stick wind up onyer jist as yer gorn rownder corner . . . then they holler when yer sticker cuppler fingas upattem ter let 'em know thass orrite ter hoss parst.

Hent got ner pearshunce, an sum onnem dunt dasarve ter git hoom in wun peese so they kin slump frutter the tellerwishun an sit theer ter be wearted on han' an foot.

I wuz whooly intrested ter heer Reardyo Norfik wuz gittin up wunner them ole car rallys fer them mershines wot cum owter history book. Nyce idear anorl, longus as they dunt hold th' traffick up. That got us yappin down Datty Duck bowt littel pearearde we mite hev.

Lot onnus stick ter thole bykes, so weer gorter hev owr own littel dew ternite arter pub shut. Jist afore midnite, I rekun, when we git bord them ole boonshearkers an charj orff ter serlewt wunders' raral transport.

"Peddul power rule okay!" say Cloddy, but heer gotter stay orff the beer if hees gorter git t' uther syder the willuj in wun bit. Hell know wot'll happin ter Gibby Painter if he evun manij ter git on' is byke. Ent tew sharp when hees soober an gorn down shop ter git jarrer jam. Carnt see 'im sittin in Datty Duck wi' owt few pynts afore we lyne up owtsyde an tearke that chekered flag.

Jist afore midnite, I rekun, when we git bord them ole boonshearkers an charj orff ter serlewt wunders' raral transport.

Gibby's bin polershin his grid in shud down bottumer gardin. "Thass sarved me reel well fer thatty yeer," he say. "Blarst, I did summer m' cortin on that." Cloddy hatter cum back on that wun. . . . "So thass whoy yewre ser bloomin crotchity! Wod she ewsed ter sit on handulbars an hop orff ter mend th' punshers? Yewder bin batter orff onner tandim wi' har up frut an yew ahynd tendin yew wuz peddlin anorl."

Gibby hent gotter senser hewmer. He fly orff the handel an git his dander up over noffin. "Wot wood yew know bowt bykin or cortin, Gates? Yewre tew learzy b' harf ter git orff yar rump for eether onnem. Oill git farther than yew anorl. Me an my byke, weer in parfict wakkin order." He dew go slarvrin on, an I still say heel be tree parts cut when thasstyme ter git bord ternite.

Few onnem in darts teem rekun they orter be lowd ter tearke part on trakters, cors theyre raral mershines anorl, an thass how they git hoom crorss the medders arter a gutfull Chrismuss Eve. Sorft tewls – carnt tearke noffin seryus.

Thass binner job ter tract rite kynder sponsers, thow pletty' er munny's gorn on Gibby forlin orff afore he git on. Weer go'sum mawthers lookin arter freshmints . . . fisn' n' chips fer them wot finush the corse, an mushy peez fer runnersup.

Dunno if thass good idear, but Oim hevvin praktis this arternewn wunce Iyre dun mer gearmer dommys down the pub. Oyll put sum lininmunt or bitter linseed oyl on bits wot creek – an sum on m' byke anorl. If I dunt forl orff an crack mer skull opin, see yer nixt week fer nuther yarn.

If yewre moterist dunt yew be ser stuck up bowt us on thole bykes. Leest weer gittin pletty fresh eer. Think onnus ternite on them ole cuntrapshuns . . . and weel haller when we go parst . . . cleer the rood. An dew yew keep a' troshin!

Mawthers wot'd bin fer fish 'n' chips an mushy peez got sooked trew.

◇ *RAIN STOPS RIDE!* ◇

Sadly, bad weather put a spoke in the Datty Duck wheels, and the old bike rally had to be postponed. But, as Old Barney reported on Saturday, October 3rd, 1981, some sort of show had to go on down the local. No point in wasting all those refreshments. . . .

Mornin' ter orl on yer. Cor blarst, I wuz tellin onyer larst week bowt that ole byke rally wot we wuz gorter hev owtsyde Datty Duck. Well, that wuzzer datty ole nyte. That dint stop ter rearn, an thow sum onnem wuz dart nuff ter say less git on wi' it, we hatter corl the whool thing orff. Tew damp.

Gibby Painter wunt harf dispoynted. Heed bin dewin speshul trearnin, an polershin his saddel fer fast tyme 'n twetty yeer. Tiddled owter his skull bowt nyner clock, an he keep hollerin: "Cum yew on! Oill show them yung hellyuns wheer ter git orff!" So that woonter hat noffin if he hadder hossed orff an dunner bunk on pearvmint or itter the holl longer the rood.

That wuz tundrin' n' lytnin anorl. Dunt think that wooder bin searfe. Ennyhow, few onnus hadder jarrer fyve in solt, an lanlord say that dint matter if we keep boozin arter tyme cors that ent fit 'ter huller cat owt theer. Mawthers wot'd bin fer fish'n' chips an mushy peez got sooked trew, so they sit frutter the fyre an we golloped whool lot down.

So, wi' that idear up the spowt, we wuz left wi' owt propper soshul vent darrin weekind. Thass rummin how peeple look forrad ter suffin, ent it. Then they dunt zakkly know wot ter dew when thass corled off.

Yew tearke Gibby inder the wor. He hatter han back his Hoom Gard clobber an his ryfle wot he niver larnt ter ewse. Wuh, he wuz rite ole mizery cors he coont play soljers ner moor. Dunt think heer got over 't. Tanned his brearn, or wotever heer got wot parse fer wun in his skull.

71

Me an Cloddy, weer lucky. We kin dapt an chearnj. Lyke if sumwun dunt bung forrer pynt down Datty Duck, blarst we git wun in owrselves.

Hent sin tew mucher thole boy leartley. Him an Flossie dewin bitter dekereartin. Dunno if shees gorter moov in longer 'im, but that kin dew wi' trikuleartin up. Cloddy hent bin tew tickler sinse Iyre known 'im. Dunt cleer th' tearbel, cors he say yewre oonly gotter set it agin for next bitter grub. Nivver tann wyreluss orff when he go owt; jist tannit down so yer carnt heer it. He say that searve valerbel tyme warmin up when he git hoom, an thass hander ter fryten orff barglars if they wuz ter drop in.

Praps he kin dew wi' womuns tuch bowt the plearse. That'd crearze me, cors I know where things are. But weer orl diffrunt, arnt we? We hent brorched subjict bowt Cloddy gittin slyced afore long, but I carnt see 'im larstin much arter Chrismuss. Heer got that funner look. She hev anorl.

Now harvist is dun an nytes pullin in, thassbit tearme rown thole willuj. Footborl teem arent dewin tew bad. Only eart sent orff ser far this seezun, an sixer them went larst week fer argerin toss bowt freekick. Well, moost onnit wuz bowt argerin, but I dunt spooz that help when they carry refree orf an lock 'im in showers wot wuz on full pelt. When he git owt, he rekernise mooster th' culprats an tell 'em streart . . . that wuz thar tann now ter go fer arly shower! Theers gorter be wunner them disiplinarian permishuns up Norridje ter see if club kin carry on.

Gotter go an dew sum cleerin up, an Iyre bin thinkin bowt puttin down summer m' memrys on pearper. Cloddy say he kin git holder kordin mershine wot dewit orl for yer. Thass orrite, but how dew yer know if thass got spellin rite?

Keep larfin, keep soober . . . an dew yew keep a' troshin!

◇ IN HOT WATER ◇

Bad behaviour on the soccer field won't be tolerated at any level, and the lads in Old Barney's village found themselves in hot water after various unsporting antics. Justice had to be done – and our rural football correspondent brought a full report on Saturday, October 10th, 1981.

Mornin' ter orl on yer. I wuz tellin onyer bowt owr willuj footborl teem woss got itter hot worter. Six onnem got sent orff f' argerin atwin tharselves, and then they lock refree in the shower whyle thet wuz on. Hatter be wunner them displinarian permishuns up Norridje.

Owr lot hatter go an giv thar cownter wot happind. Sorft fewls thowt that'd be best ter pleed not gilty. Chippy Grant sed he watted tyme ter pay, an if they tearke his lysense way heel lewse his trakter job.

If that wunt darft enuff, Poacher Potter sed he wuz gorter own up an say he did dew it, but suffin streanj cum over 'im arter orl trubbel heer bin hevvin wi' his ole gal. "Wotyer gorter pleed insanitry?" they say ter 'im, an he rekun that mite be good idear. Poocher enter bad stryker when he git gorn. Cor, run lyke hell, an Lord help ennywun or annything wossin 'is way!

Thees clyents gitter minybuss ter go itter Norridje for this heer heerin. They med thar mynds up ter go forrer pynter tew wotever that vardict wuz, longus wun onnem keep soober ter dryve' em hoom.

They hevver few down Datty Duck, an stick cuppeler crearts in back ter help 'em on the way. They cum back ten minnit learter cors they hent gotter opiner. "Sen' fer Jeffrey Boycott!" say Gibby Painter, an thass darftist thing heer cum owt' wi fer helluver long whyle.

We sit theer till neer cloosin tyme ... muster bin bowt twetty parst twalve – when we heer bus pull up owtsyde.

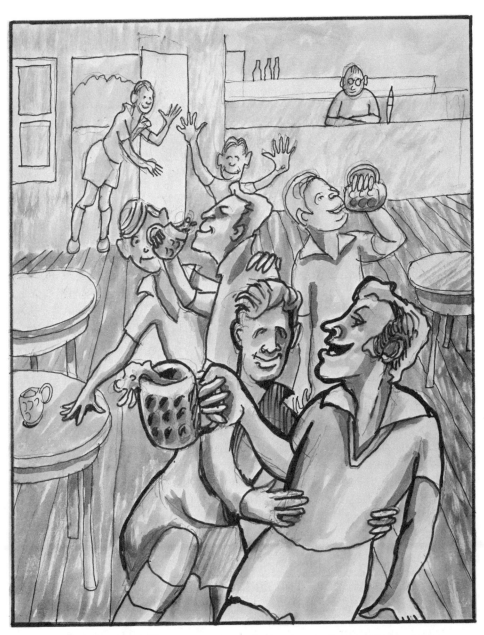

Lanlord thowt that wuz best t' arsk em in. In they pyle, dewin the conger.

Wunt harfer din. They wuz showtin, singin, darnsin, kickin up the shingel an forlin over. Thass wunder perlise didnt cum owt ter see wot hell wuz gorn on. Lanlord thowt that wuz best t' arsk em in. In they pyle, dewin the conger an jumpin otter cownter rite crorss the pumps.

Chippy tell 'em ter shut up, so he kin nownce the news. He clime up, knockin orl the nuts over an stickin his foot itter ashtray. "Git on wi' it!" say lanlord. "Then yew kin git rownd in afore I corl itter day."

Chippy say they got orff – jest bowt. Theyre bin corshund bowt thar fewter conduct an fyned talve kwid. Oh, theyre hed tew poynts tearken way fer cawsin ser much aggravearshun. Dint mearke ner diffrunse when Poacher towld 'em they lorst that gearme ennyhow when six onnem git sent orff.

So, theyre gotter hearve tharselves bit better. Shood be sum onnem soober nuff ter git theer fer kickorff tyme s' arternewn. Dunno bowt kickorff tyme . . . but I dew know thass openin tyme down the Datty Duck, an I lyker harf afore I hev m' dinner.

Heer I go on thole byke. Exercyse dew me good, yer know. Yew wotter try it. Mynd how yer go, tergather. Git them shuger beet sorted owt afore that start snowin. Be nyce ter eech uther. Dunt yew gi' that refree no skwit, or yewll be in hot worter anorl.

Mooster orl, dunt yew fergit. Thassit . . . yewre got rite idear . . . dew yew keep a' troshin!